David Walliams
stelt voor ...

Voor de kleine Liev,
welkom in deze wereld
David x

Voor mama en papa
Liefs, Adam x

Tekst: David Walliams / Illustraties: Adam Stower
Kleine monsters veroveren de school

Clavis Uitgeverij, Hasselt – Amsterdam – New York
Vertaald uit het Engels door Clavis Uitgeverij
met toestemming van HarperCollins*Publishers* Ltd.
Oorspronkelijk uitgegeven in het Engels in het Verenigd Koninkrijk
door HarperCollins *Children's Books*,
een afdeling van HarperCollins*Publishers* Ltd.,
met als titel: *Little Monsters Rule!*
Trefw.: monsters, pesten, vriendschap, humor
NUR 273
ISBN 978 90 448 5519 7
D/2024/4124/213

www.clavisbooks.com

Dit boek is van
....

KLEINE
MONSTERS
VEROVEREN DE SCHOOL

GEÏLLUSTREERD
DOOR DE GEWELDIGE
Adam Stower

Clavis

Sneeuw dwarrelde naar beneden toen de nieuwe kleine monsters aankwamen voor hun eerste dag op de Monsterschool.

Een van hen stond te popelen: de kleine, schattige yeti genaamd Donsje. Hij leek meer op een knuffel dan op een monster.

‘Maak je klaar om BANG te worden!’

Alle GROTE monsters gniffelden.

'HAHA!' 'Hij maakt nog geen vlooi bang!'

'We zullen HEM eens bang maken!'

'EEN ... TWEE ... DRIE!'

Op 'drie' bekogelden ze Donsje met sneeuwballen.

De juffen en meesters waren vreselijk. 's Ochtends gaf de
GEMENE juffrouw Spreuk vliegles.
Maar de heks behekste hem ...

... en de bezemsteel vloog vliegensvlug door de lucht!
De kleine monsters klampten zich vast.
'AIAIAIAI!'

Toen de bezem een looping maakte,
vlogen alle
kleine monsters
eraf!
WIEEE!
'AAAH!'
gilden ze, en ze stortten neer
in de sneeuw – met het arme
Donsje onderaan!

’s Middags kregen ze zwemles van meester Kraken.

Zelfs nu het meer bevroren was.

‘Ik ga een ZEEMONSTER worden!’ riep Donsje.

De meester brak door het IJS terwijl hij het meer in dook.

Meester Kraken was gewend aan de **kou**,
maar de **kleine monsters** werden BLAUW!

Zeker toen meester Kraken
onder water **brulde**.

'BRRRUL!'

’s Nachts gaf meneer Boeman, de directeur, ook nog les. Een lesje …

ANGST AANJAGEN.

Maar hij haalde een **monsterlijk** lelijke grap uit. ‘Aan **de andere kant** van het bos,’ zei meneer Boeman, ‘kun je je perfect verstoppen. Daar moet je tevoorschijn springen en BOE roepen!’

Alleen moesten ze wel eerst voorbij een STEILE helling.

Dat wist meneer Boeman natuurlijk heel goed.

De kleintjes raceten weg … en konden niet meer STOPPEN!

Holderdebolder rolden ze van de heuvel af.

De GROTE monsters waren nog erger dan de leerkrachten.

Poeslief vroegen ze of Donsje hun bal uit de boom wilde halen.

'Geen probleem!' zei de yeti. Met de kunstjes van een kat klom hij omhoog.

Maar toen hij helemaal boven was …

katapulteerden ze hem weg!

'AAAAAH!'

De kleine yeti
vloog **meters**
door de lucht.

WOESH!

Maar wat naar
boven
gaat,
moet ook weer naar
beneden
komen.

En dat deed Donsje.

In volle vaart.

Gelukkig werd Donsjes val gebroken door een ENORME berg sneeuw.

Die lag op de speelplaats van de nieuwe school van Brullie.

Brullie was een kleine weerwolf met een heel **hoog** huiltje.

'WOEHOEHOE!'

Zo hoog dat hij van de **Monsterschool** was gestuurd. Hij was gewoon niet **eng** genoeg!

Brullie stopte meteen met zijn **sneeuwwolf** en rende naar Donsje om hem uit te **graven.**

Het was een **verkleeddagje** op school, maar Brullie **hoefde** zich helemaal niet te verkleden!

'Jij komt vast van de Monsterschool!'

zei Brullie terwijl hij Donsje uit de sneeuw trok.

De kleine yeti knikte.

'Wil je me vertellen wat er is gebeurd?'

Een beetje verdrietig vertelde Donsje hem het verhaal.

'Ik kan niet **wachten** tot ik een GROOT monster ben!' zei Donsje.

'Dan kan IK de **kleine monsters** pesten!'

'NEE!' zei Brullie. 'Als je dat doet, komt er NOOIT een einde aan de ellende!'

Met een brulletje riep Brullie alle kinderen bij elkaar.

'WOEHOE! KUNNEN JULLIE ME HELPEN OM EEN STOMME SCHOOL WEER LEUK TE MAKEN?'

'JA!'

Maar **hoe** gingen ze **dat** doen?

In het holst van de nacht slenterden de kleintjes door
een sneeuwstorm, helemaal naar de
Monsterschool.
Aan een vensterbank trokken ze zich op en klommen naar binnen.

Ze trippelden de trap af richting de slaapzaal.
ZZZ!
ZZZZ!
ZZZZ!

IEEEP! deed de deur.

'Sst!' siste Brullie. 'Ik ben jullie vriend, net als Donsje. Kom mee.'

Heel voorzichtig, **zonder** geluid te maken, volgden ze de twee.

Ze **zigzagden** door het doolhof van de school tot

ze uitkwamen in …

De GROTE HAL!

'Weet je zeker dat we dit wel moeten doen?' vroeg Donsje. 'We kunnen in de problemen komen!'

'Geen zorgen,' zei Brullie,

en hij pakte Donsjes hand.

Maar zijn hart was aan het racen.

Hij was óók bang!

Binnen in de grote hal begonnen ze …

slingers op te hangen,

ballonnen op te blazen

en **cake** en **frisdrank**

op tafel te zetten.

Het was

TIJD VOOR EEN FEESTJE!

De Kleine Monsters begonnen aan hun show.
Het klonk OORVERDOVEND!

Brullie was de ideale frontman.
Zijn hoge stem klonk perfect
bij de luide muziek.

In geen tijd STORMDE juffrouw Spreuk naar binnen.

'DOE MAAR MEE!'

zong Brullie.

'JA!' riep Donsje. 'Kom op, juffrouw Spreuk! DANSEN!'

Hij nam haar hand beet en trok haar op de dansvloer.

Plots stond de heks te swingen met een bende **kleine monsters.**

Haar gemene mond
draaide om …
En voor de eerste keer ooit
moest juf Spreuk
lachen!
‘HIHI!’

Iedereen had het naar zijn zin,
tot de GROTE
monsters de deur inbeukten.
KNAL!

Grommend stonden ze bij de deur.

'WE KATAPULTEREN JULLIE ALLEMAAL DE LUCHT IN!'

riep een van hen.

'O ja?' vroeg Donsje. 'Wil je niet liever **frisdrank** drinken?'

'HOEVEEL IS ER?'

'Liters!'

De **GROTE** monsters schoten ernaartoe, pakten elk een **rietje** en **slurpten** erop los.

Al snel speelden ze een spelletje:
'Wie kan het luidste boeren?'
'BURP!'
'BUUUUURP!'
'BUUUUUUUURP!'
'BU...'
De boer stopte halverwege.
Iedereen was muisstil.
De DIRECTEUR!
was binnengekomen!
Met een heel luide stem riep
meneer Boeman ...

'FEESTEN MAAR!'
'HOERA!'

'Het is ons gelukt, Brullie!'
riep de kleine yeti.
'En of, Donsje!'
riep de kleine weerwolf.
'WOEHOE!'
En iedereen feestte de hele nacht!

De volgende ochtend was iedereen **moe gefeest.**

'Vanaf NU,' zei meneer Boeman,

'is de Monsterschool de

LEUKSTE school ter WERELD!'

De kleine monsters hadden er met z'n allen voor

gezorgd dat de STOMME school weer LEUK werd.

Soms heb je **kleintjes** zoals **JIJ** nodig
om de wereld een beetje **BETER** te maken.

Zo zie je maar …

Maar ze waren helemaal vergeten …

dat meester Kraken nog in het meer zat.

DE KLEINE MONSTERS KOMEN TERUG!

MAAR DE GROTE MONSTERS OOK!

Einde